M000012173

you + me
= love

you + me + ________________________________

= our first date

you + me + ______________________________

= the most fun

you + ______________________

= always cheers me up

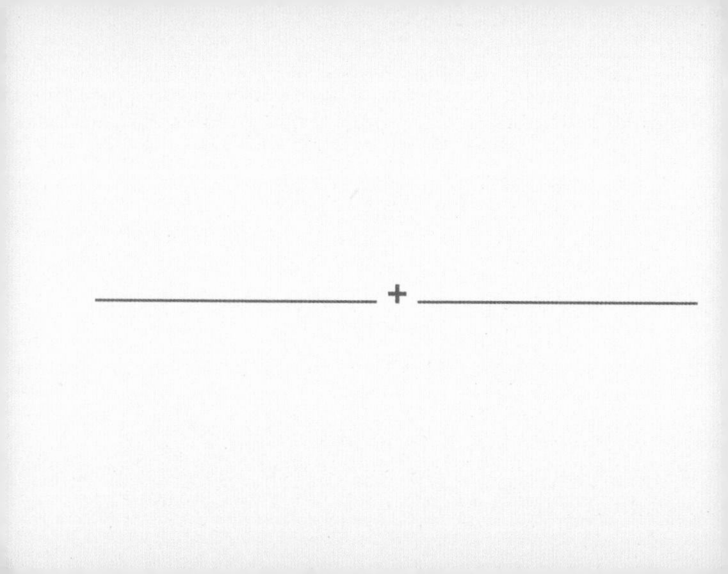

= how much I think about you

you + me + ______________________ = us

you + ________________________

= delicious

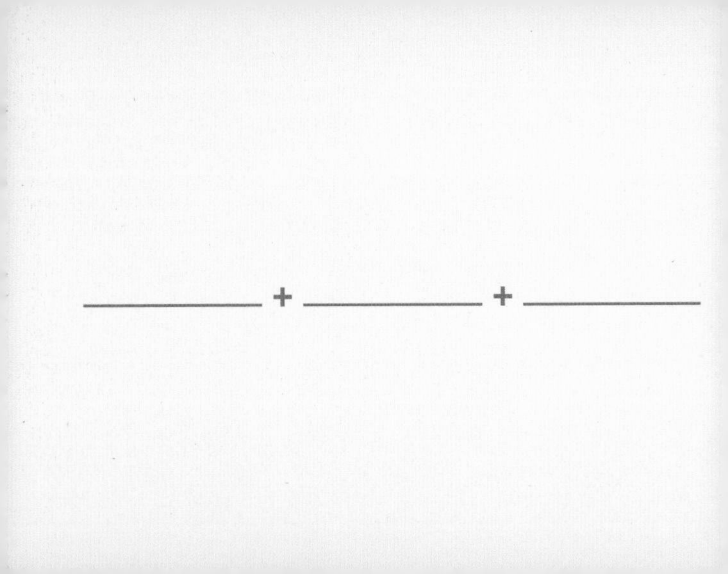

= you

me + you + ______________________________

= good times

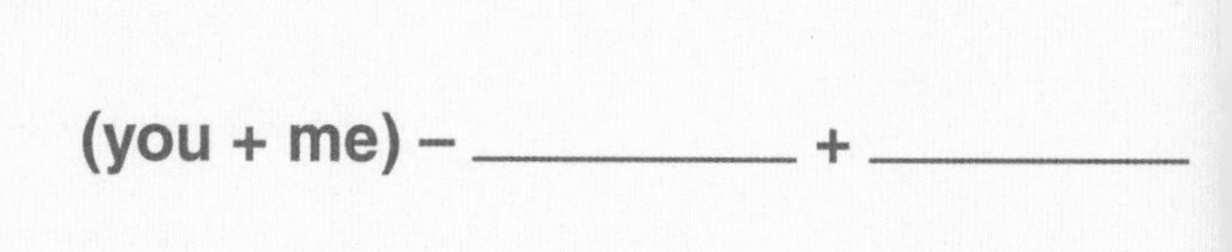
(you + me) – ___________ + ___________

= the perfect vacation

my love for ______________________________

≤ my love for you

me + ______________________________

= you, happy

you + a cocktail = ______________________

us + a ticket to ______________________

me + your hugs = ____________________

me + your kisses = ____________________

you + me + ______________________________

= the perfect date

my ______________ + your ______________

= team us

you + ____

= hot stuff

you + that ___________________________________

= my favorite

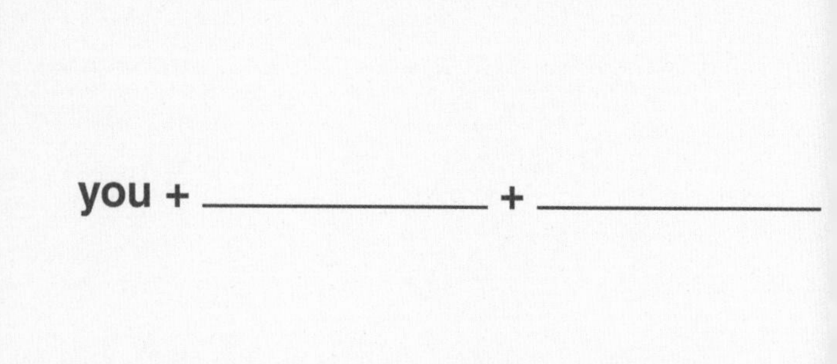
you + ________________ + ________________

= good idea

me – ________________ – ________________

= bad idea

me + ______________________________

= you, laughing

me – you = ______________________________

you + me + ______________________________

= our dream home

you + ______________________________ = love

us – ________________ = ________________

me + ______________________________ + you

= so funny

you + ______________________ = our future

me + ______________________ = total bliss

us + ________________ = my ideal day

(you + me) × ________ years

your ____________ + my ____________

= coolest couple ever

me + __________ = you + __________

you + me + a winning lottery ticket

you + ____________________

= yes, please!

you + ______________________________ = uh-oh

you + ______________________ = silliness

your cuteness > ____________________

you + ______________________________

= my wildest dream

you + me + ________________________________

= awesome

us + ______________________________

= world domination

you + me + ______________________________

= the greatest ________________ ever

you – ______________________________

= the worst ____________________ ever

you + me = ______________________________

you + ____________________

= me, smiling

you + ______________________________

= bow-chicka-wow-wow

you + ______________________

= my mind, blown

you + me + ______________________________

= my favorite memory of us (so far)

you + me + ______________________________

= our happy place

you + me

= ______________________________ forever

you + me =

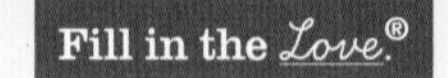

Created, published, and distributed by Knock Knock
1635-B Electric Ave.
Venice, CA 90291
knockknockstuff.com
Knock Knock is a registered trademark of Knock Knock LLC
Fill in the Love is a registered trademark of Knock Knock LLC

Made in China

ISBN: 978-160106879-8
UPC: 825703-50250-3

10 9 8 7 6 5 4 3 2